KB198087

대장장이 딸

이 도서의 국립중앙도서관 출판예정도서목록(CIP)은 서지정보유통지원 시스템 홈페이지
(http://seoji.nl.go.kr)와 국가자료종합목록 구축시스템 (http://kolis-net.nl.go.kr)에서
이용하실 수 있습니다.
(CIP제어번호 : CIP2020020177)

대장장이 딸

2020년 6월 24일 초판 1쇄 인쇄
2020년 7월 1일 초판 1쇄 발행

지은이 | 김소해
펴낸이 | 孫貞順

펴낸곳 | 도서출판 작가
(03756) 서울 서대문구 북아현로6길 50
전화 | 02)365-8111~2 팩스 | 02)365-8110
이메일 | morebook@naver.com
홈페이지 | www.morebook.co.kr
등록번호 | 제13-630호(2000. 2. 9.)

편집 | 손희 박영민 설재원
디자인 | 오경은 박근영
영업 | 손원대
관리 | 이용승

ISBN 979-11-90566-08-7 03810

* 본 도서는 2020년 부산광역시 부산광역시 BUSAN METROPOLITAN CITY, 부산문화재단 부산문화재단
부산문화예술지원사업으로 지원을 받았습니다.

잘못된 책은 구입하신 서점에서 바꾸어 드립니다.

값 10,000원

대장장이 딸

김소해 단시조집

작가

■ 시인의 말

짧은 시 깊은 의미,

시조의 깊이에는 이르지 못하였으나

사랑한다는 마음 하나로

여기 섰습니다.

백년의 고백입니다.

2020년 6월

김소해

차 례

2부

3부

4부

해설

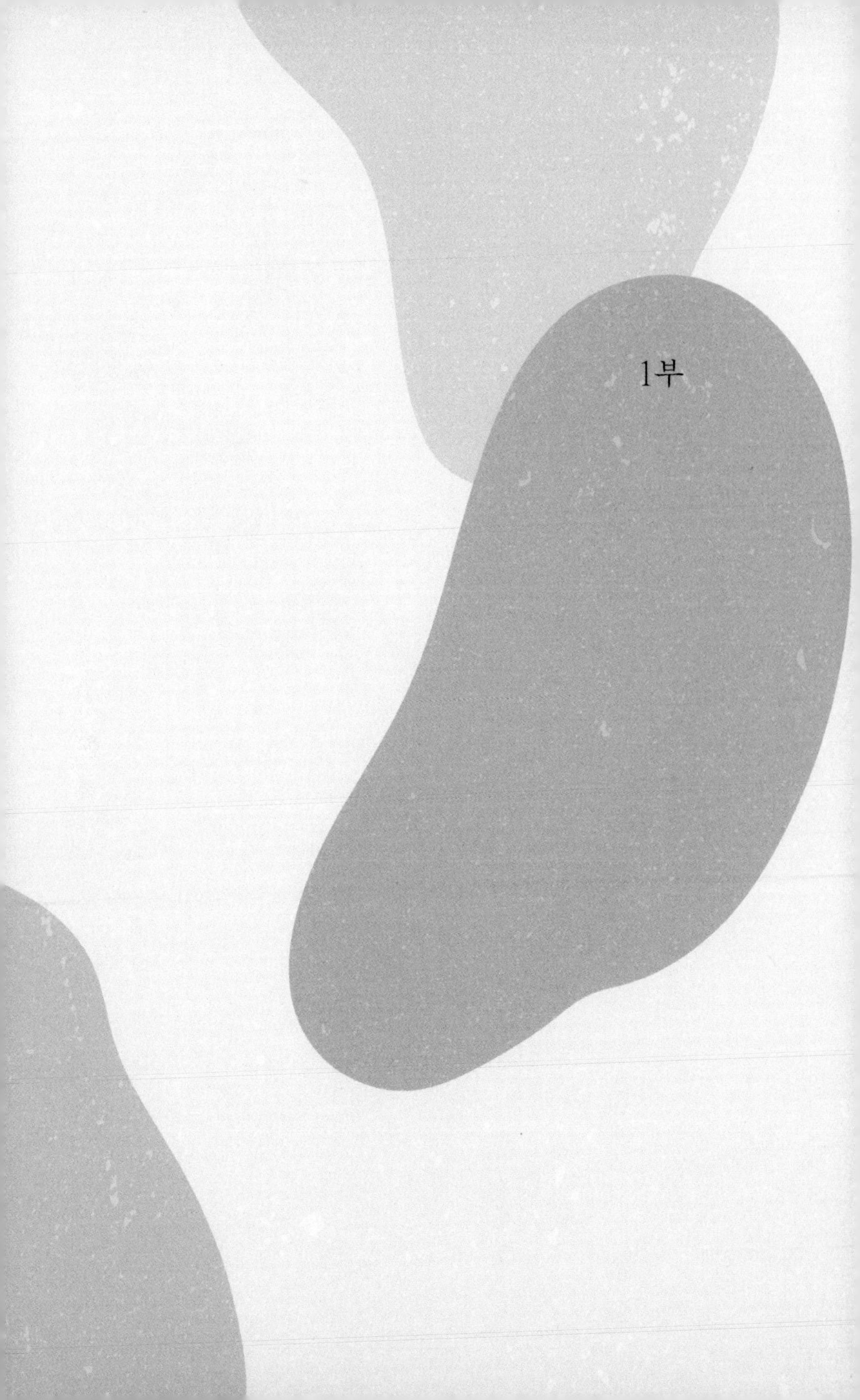

1부

연필

붉은 입술 그보다 붉어 조용한 검은 입술

함부로는 아니지만 입을 열면 소나긴 듯

백지를

적시는 고백

백 년이든 읽겠습니다

대장장이 딸

사랑을 훔치려다 불을 훔치고 말았다

무쇠 시우쇠, 조선낫 얻기 까지

숯덩이 사르는 불꽃

명치 아래 풀무질

섬

내게로 오실 때는 뱃길로 오시어요

느닷없이 다리 놓아 쌩쌩 오지 말구요

천천히 노 저어오던

그 다정으로 오셔요

하모니카

함께 울어 울고 싶은 악기 하나 있어 좋다

울다가 잠이 들어 누가 이마를 짚어주는

그게 내 손바닥인 줄 적막인 줄, 하모니카 분다

봄비

가풀막 천수답에 물 들어오는 소리

물소리에 쓸려가는, 또 쓸려오는 새소리

누구든 녹슨 경첩에 이 소리들을 먹이지

아 -

깊은 우물 들여다보며 아- 소리 질러본 적 있다

고래울음소리 그럴 거라 믿으며 소 울음처럼

공명통, 크면 클수록 울음통이 크겠거니

달 항아리

달빛이나 물소리 흘러 진도 아리랑 가락

그런 것만 채워 담아 꼭꼭 여민 흰 마음

담아서 더 비워지는 조선 도공 그릇 하나

손금

운명을 탐색하다 손바닥을 펴본다

움켰다 놓는 순간 실뿌리 얽힌 잔금

운명선 그걸 믿다가 다시 보니 낙서 같은

은빛가위

솔기는 풀리지 않게 핑킹가위 지나간 자리

바르다고 달린 길이 지그재그 어지럽다

나머지 남은 길은 왜 또, 갈팡질팡 올이 풀리나

아름다운 울음

죽을 때 단 한 번 우는 새가 있다기에

울 줄 모르는 나를 슬퍼하지 않습니다

언젠가 그날을 위해

울음준비 중입니다

경이

연리지 아니라도 연리지가 여기 있어

바람 비탈 미끄러지지 않게 안간힘 버티고 있어

두 팔 꼭, 팽나무참나무 업어주고 잡아주고

따개비

내 일생 항해라야 통통배 하나였다

그마저 빈틈없이 달라붙는 따개비들

또 내일 출항을 위해

긁어내고

긁어내고

알피니스트

신이 숨겨놓은 만년설 봉우리들

새들도 발자국을 삼가 오르지 않는 곳

기어이 문 열고 싶다 인간이므로, 호기심

마지막 밤, 아버지

은하 강 물줄기가 휘청 떨렸겠다

작은곰 큰곰자리 구도가 흔들렸겠다

낯선 별 하나를 맞는 캄캄한 저 하늘

행복 요양병원

벗겨지기 아주 쉬운 고무신을 신고서도

운동회 날 앞서가던 울 엄마 달음박질

한세상 달리기 끝나는 결승점에 다다랐다

살구꽃

한꺼번에 피었다 한꺼번에 뛰어내리는

저 높은 나무의 높은 벼랑 살랑 춤을

낙화는 그리움의 길 내가 왜 절망 하나

손가락무늬

똑똑한 인식기가 내 지문을 못 읽는다

이제는 벌짓거리 눈감아 주겠단 건지

저 고개 넘어오는 동안 나 모르게 증거인멸

빗소리

게으른 내 서기書記는 타자 술을 개발했다

깊은 울림 시구들을 받아 적으라니까

유리벽 창을 두들겨 자판을 치고 있다

기역

기역, 호미 들고 익히지 못한 상형이다

밭길 건던 지팡이가 어머니 몸이다

만월의 생을 펼쳐 읽는

책 한 권의 첫 글자

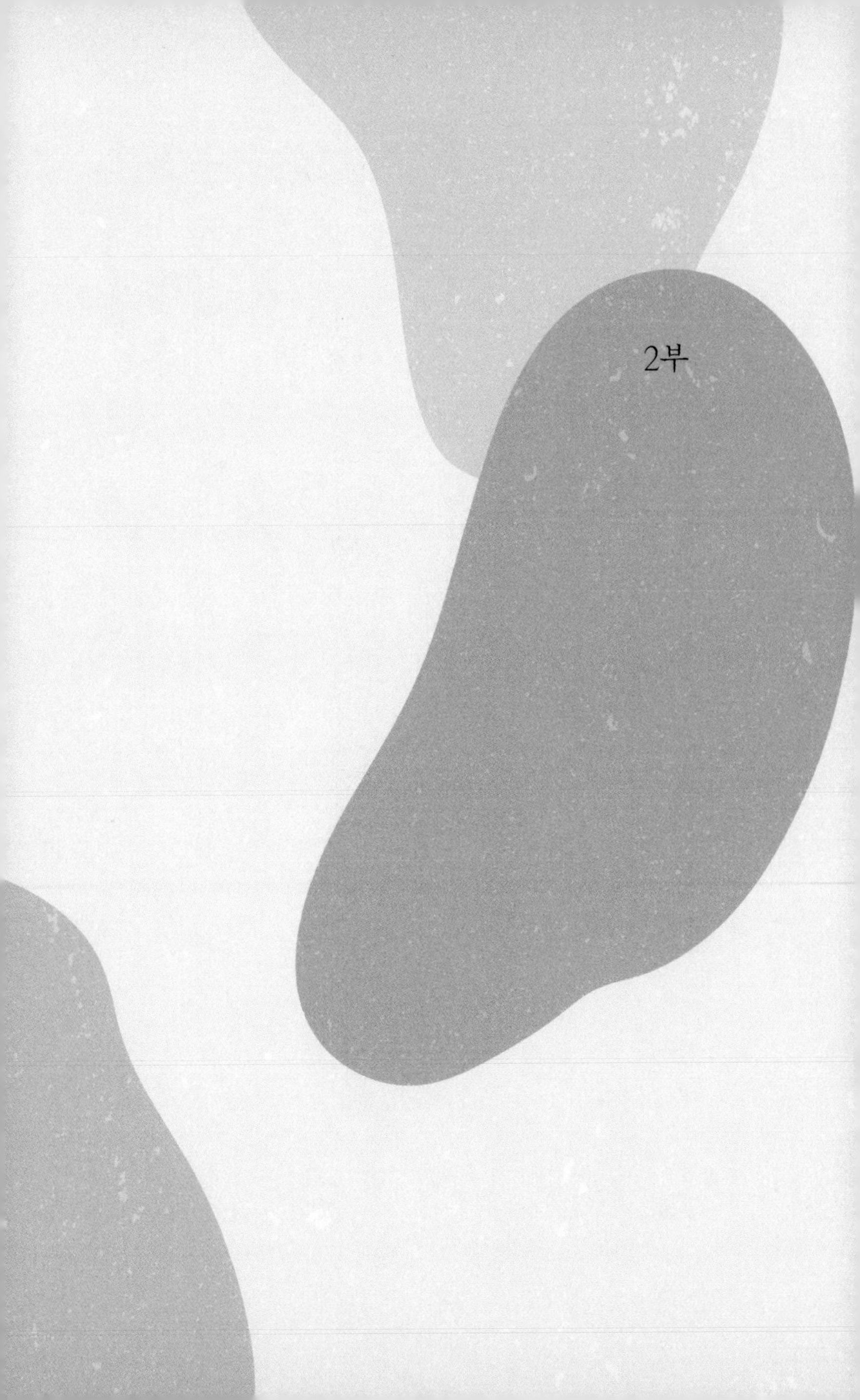

2부

동행

보내고 떠나는 시외버스 유리창어디

손가락에 가을을 찍어 혼자라 적어본다

괜찮아, 산마루 저 달"내가 있잖아! 함께 갈게"

달빛손님

퇴근이 늦은 거실을 지켜보는 둥근달

반가울수록 예의는 등불 모두 끄는 일

환하게 마주한 대작對酌

조명 없이 조명 밝은

팔월

낮잠이 깊은 아재 그늘 덮어주다 잠든 느티

매미들 자장가 바쁘고 세월은 쉬며 가는 곳

다랭이 벼이삭들은

하루치 씩 여물고

상승기류

바위산 높은 벼랑 세찬 바람에 길이 있다

그 길을 아는 이는 독수리 같은 새들뿐

길의 길, 날개를 버려도

설산을 넘는 저 늠름

집어등

그 포구 목련꽃 흰 꽃등이 가득하다

밤이면 넋을 놓고 바다는 사뭇 꽃밭

구룡포 오징어 모두

목련꽃에 반했다지

석굴암

숨 막힐 듯 마주친 오래 기다린 눈길

날 부르는 거기 어디 누가 있어 참 아득하다

화강암 어깨 죽지 맨살 천년 문이 열리고

점자

점자를 읽을 줄 몰라 해독을 못 하겠다

우주를 가득 채운 밤하늘 뭇 별들

나에게, 행성에서 행성으로

뜨거운 호소, 기록인데…

사죄

청춘, 너 어디쯤 달아나고 있느냐

함부로 몰고 다닌 그 죄가 미안하다

비바람 들락거릴 때 문이나 닫아줄 걸

토우

폭우에 젖어들어 허물어 주저앉는

그 무엇도 속수무책 그럼에도 불구하고

한 움큼 흙으로 빚어

크게 웃는 호모사피엔스

낙화암진달래

벼랑이 높았으니 강물이 깊었을까

그날 그때도 저렇게 붉었을까

그 혈흔, 더는 아닌 척 그냥마냥 붉어서

부부

뒷면이 고운 너는 은사시나무 잎사귀

미풍, 그 미세함을 떨림으로 보여주는

내 사랑 수시로 흔든다 보고 싶은 뒷면

창조의 순서

여기, 풀 한 포기 대수롭잖게 여기던 것

질경이 그런 것도 나보다 먼저 태어났다

몸집 큰 초식동물들 먹여야 하겠기에

기일, 저녁 강

자전공전 물살에도 아우성은 잊은 강

거슬러 흐르지 않아 그길 아득 절창이다

빈말을 약속드린 아버지

그 약속을 띄워 얹고

이팝꽃 급식소

공양미 삼백 석으로 지어올린 아버지 밥상

천지간 먹이고 싶던 소원의 쌀밥그릇

화들짝 눈 뜨는 가로수 듬뿍듬뿍 받아간다

11월

첫 문장 거기부터 해독이 어려웠다

잎은 지고 감만 남은 붉은 감나무 밭

저물던 가을의 심지

한꺼번에 등이 밝다

돌탑

자갈 많은 사이길 먼저 걸어간 사람들

모난 돌 다스려서 여기 모은 돌무더기

내 걸음 염려하는 손

한 개 한 개 또 한 개

청 하늘 흰 구름

징검돌 성긴 길을 건너시던 할아버지

잔술에 걸쳐 얹던 남도 육자배기

구름이 추임새 알아 발림 넣을 줄도 알고

죽방림

내게도 어느 한 때 그런 적 없었겠나

참나무 굵은 말뚝 촘촘히 박아두고

돌이켜

나가는 길목

두고 못 찾는 안타까움

썰물

잔잔하게 가득하여 평온한 해안선이

한사리 물때에는 속수무책 만 평 갯벌

꺼멓게 드러난 바닥

네 속을 여태 몰랐다니

울컥

천국에 들어가는 첫 번째 조건이란

이승 일 아득 잊고 백지로 남기는 것

아흔의 막마지 치매

어머니를 보는 동안

3부

노사

'참이슬' '좋은데이' 이름만큼 좋은 날

"위하여" 힘찬 구호 한마음 일곱 식구

어디가 손익분기점인지 몰라도 괜찮을

꽃구경

–고속도로 정체

꼭 거길 가겠단다 초등학교 소풍 길

거기 벚꽃만 벚꽃이라 우기고 또 우긴다

아무데 아무데서나 피는 꽃이 아니란다

시작詩作

네가 하늘 – 하고 말하면 나는 이냥 하늘이네

내가 바다 – 하고 부르면 너도 그냥 바다였네

수평선

머나먼 끝에서

만나는가

우리 사이

간병

빨래가야 한다며 보따리 싸기 바쁜 어머니

치매의 굽이에도 대가족 빨래걱정

지문은 박꽃으로 피어

참 희게도 부시다

반가움

소 먹이다 소를 잃고 울며 돌아오는데

날은 어둑어둑 걱정범벅 눈물범벅

아 글쎄, 지가 먼저 와서 날 기다리고 있더라니까

사월 아침

누가 나를 보고 있는지 뒤통수가 따가웠다

바쁜 출근길 돌아보지 않을 수 없었는데

왜 그냥

지나가느냐며

볼이 더 버는 목련꽃

평評

비극을 울지 않는 당신 진화했다는 증거

AI처럼 완벽하게 눈물 없이 순정배우

연기는 훌륭했지만 아날로그 아직 남은

수술용 스테이플

붕대를 풀고 보는 몰골이 어이없다

두 뼘은 됨직 싶은 다리 위에 수술자국

노련한 봉합 술은 두고 촘촘 박힌 ㄷ자 꺽쇠

자반고등어

자반 맛 한 젓가락 치 짠 맛도 없는 시를 두고

시조에 앓는 그를 오래 바라보는 꽃 접시

고등어 자반반찬에 한 끼 식사가 느껍다

한림정역

김해 벌 모롱이 돌아 느긋하게 들어온다

경전선 짧은 기적 샛길로 돌아온다

나에게 나를 기다리라 약속했던 간이역

커피하우스

시론과 담론 사이 친구한테 맞을 만큼 맞고

통로를 찾지 못한 파지 같은 낱말들이

덕장에 눈바람 씻은 황태처럼 새 맛 든다

무화과나무 아래

부끄러움 가릴 것이 잎사귀 하나라면

치장이 남루 같아 여행도 방황 같다

벗은 몸 빚진 목숨을 벌서듯이 빚 갚듯이

늦더위

입추 지난 여태까지 당당한 기세라니

무리한 투정일수록 난리 더 치는 법

봐주자

그런다 해도

제 풀에 꺾일 테니

판소리

끓는 이마 다스려 소리할 줄 알았던 너는

강산을 메아리치는 소리를 알았던 너는

웬일로

열어 엿보나

내 하늘 한 자락

자물쇠

이런 곳 이런 배경 맹서하기 좋은 곳

열쇠는 물속 깊이 던져두고 찾지 말자

언약은 풀리면 안 돼 입술 꼭 닫았다

문안인사의 변주

낮은 창 방문 앞은 때까치가 친구 같은

철따라 꽃가지의 기웃거림 딸 같은

비비새 "할머니 안녕" 아침인사 손녀 같은

소음을 읽는 방식

아파트 놀이터에 아이들 떠드는 소리

때로는 위 아래층 다투는 소리까지

헤아려 들을 줄 안다

살아있다는 사람소리

우울증에 관한 처방

끝이 없어 시작 없는 둥근 공간 둥근 공허

그러므로 딛고 선 땅 어디든 중심이다

네 자리 우주회전중심축 흔들리지 말거라

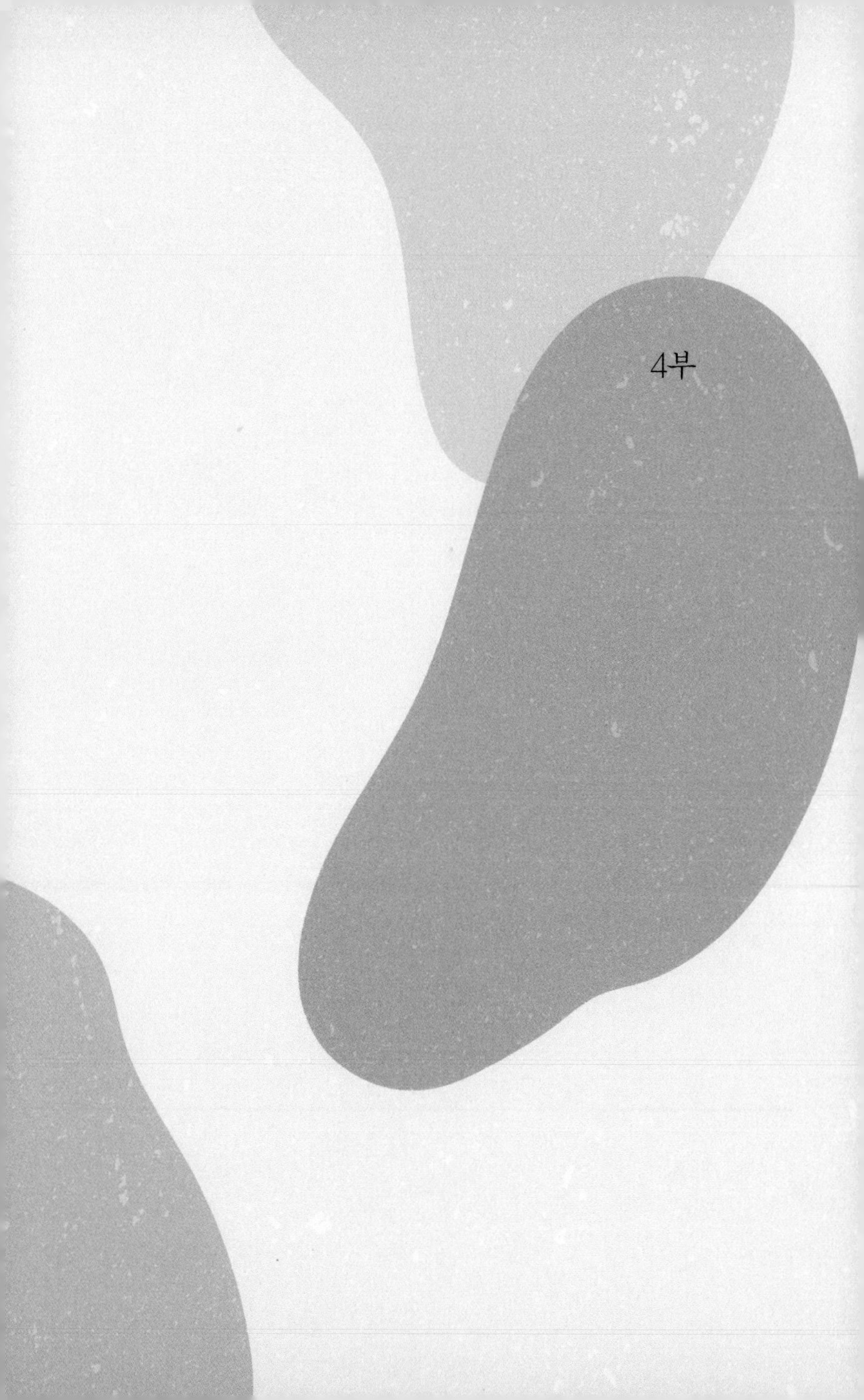

4부

오래된 가로등

그래, 네가 있어 기다리고 있었구나

여기에 길이 있어

여기가 집이라고

잊었던 그가 돌아와 안부를 묻는 골목

바랭이

시멘트 작은 틈에 풀씨 하나 날아왔다

풀포기 자라면서

차츰 더 벌어지는 틈

지렛대

쐐기가 되는 풀

가냘프고도 견고한

화전花煎

그래 참, 달짝지근한 막걸리 맛 그 맛인 듯

마음 밭 쟁기질 하는 착한 사내 팔뚝 위에

나 붓 이

꽃잎 놓아주자

누룩향의 꽃향기

대작對酌

되들이 질그릇에 가득 담긴 지난 가을

묵묵히 갈대꽃안주 달만 서로 건지던

막걸리 달빛 맛이던가 손바닥에 엽서 같은

귀뚜라미

밭일 마친 어머니 호미를 씻는 저녁강

여남은 됫박 울음을 엎질러 놓고서는

가을은 울음도 익혀 단물 들어 붉다

퇴고

말갛게 유리창을 닦으며 닦으면서

괜한 마음으로 한 번 더 닦고 간다

걸레질 지나간 자리 도로 생긴 얼룩들

너는, 거기

내 여기 벼랑에서 먹먹하게 저물거든

너는, 거기 노을로 물들었다 가거라

오래 전 편지의 해답 지금 막 도착했으니

저울

마음을 다는 저울

제대로 읽나보다

저울 침 파들거리며

고정점을 찾지 못한다

내 원래

방황하는 습성

정처定處가 없었으니

타종

묵은 절집 쇠 종소리 산이 먼저 울었으니

울음 값 받으려나 노승은 탁발가고

노을만 소리의 파문에

별계 어디 다녀온 듯

정오의 손님

태양과 수직으로 맞서라면 맞서야하리

그늘은 지우고 시침 분침 초침까지

정수리

불 데인 흑점

합일의 빛, 시가 왔다

비 오는 날의 오목눈이 둥지

작은 날개 활짝 펼쳐 지붕을 만드는 어미

죽지 아래 새끼들 걱정없이 난만하다

집이란

어미 날개의 크기

꼭 그만큼 넓은 집

되새김질

〈평화〉를 그리라면 엎드린 소를 그리겠다

닦달하던 채찍질도 반추할 무엇이란 듯

다 받아

안아주는 눈망울

그 깊이를 본 적 있다

파종

지상의 서투른 언어들을 거두어서

싹 틀 날 있어라 흙 한 삽 덮어 두네

간절한 육필을 닮네 맨몸 바닥 백지 위

월인천강지곡

아끼는 포구에는 유난히 달이 많아

월송 월포 월곡 월전 간데족족 달이 뜬다

단 한 곳 그대 지번만 이슥토록 암전이다

가을, 허수아비

선 채로 늙어가는 그런 길도 있다는 걸

발목을 빠뜨린 채 한 생이 저문다는 걸

알면서 제 할 일 끝낸 저 넉넉한 파안대소

안구건조증

몸 어디 찰랑이던 우물이 있었는데

가문 날 저수지처럼 슬픔도 말라버린 바닥

당신의 투명으로 젖던

내 살의 촉수, 그립다

달빛소나타

제 상처 혼자 핥는 짐승처럼 울고 싶다

밤도 깊은 보름사리 늑대도 울 줄 안다

우우우 울어서 기쁜, 달과 교신 중이다

전어

가을바다 잘 구워서 저녁상 준비한다

땀 젖은 당신도 돌아오는 저물 무렵

지상의 숟가락 몇 개

그 무게가 꽃이다

| 해설 |

백년의 고백

ㅡ 김소해 단시조집 『대장장이 딸』

이정환(시인·정음시조문학상 운영위원장)

| 해설 |

백년의 고백

ㅡ 김소해 단시조집 『대장장이 딸』

이정환(시인·정음시조문학상 운영위원장)

1.

한 권의 시조집을 마주하고 앉아 설레고 있다. 아니 들레고 있다고 함이 옳을 것이다. 김소해 시인이 이번에 펴내는 단시조집 『대장장이 딸』에 대한 느낌이다.

단시조는 시조의 본령이다. 근간이다. 시조의 출발점이자 귀결점이다. 단시조로 출발해서 단시조로 돌아와야 한다. 그러므로 시조를 쓰는 그 누구라도 한 권의 단시조집을 묶고 싶은 염원이 있게 마련이다. 그는 『대장장이 딸』을 통해 그 뜻을 이루게 되었다.

먼저 이번 책에는 수록되지 않은 「용접」이라는 작품을

살피겠다.

> 어디서 놓쳤을까 손을 놓친 그대와 나
>
> 실마리 찾아가는 길 불꽃이어도 좋으리
>
> 뜨겁게 견뎌야 하리 녹아드는 두 간극
>
> -「용접」 전문

「용접」은 명징하다. "어디서 놓쳤을까 손을 놓친 그대와 나"라는 장면 설정을 통해 긴장감을 부여한 후 연이어서 "실마리 찾아가는 길 불꽃이어도 좋으리"라고 노래하고 있다. 놓친 것은 분명히 단절이다. 어디서 놓쳤는지를 되짚어 가면서 실마리를 찾아가는 길에 몇 차례 피어오르는 불꽃, 그 불꽃이 손과 손의 단절을 다시 이어주는 힘이 되는 것을 본다. 그런 까닭에 "뜨겁게 견뎌야"할 것을 강력하게 주문하고 있다. "두 간극"이 녹아들기까지는 얼마간의 시간이 필요하기 때문이다. 「용접」은 단시조의 새로운 모델이다. 시인이 한 편의 시조를 얻기까지 얼마나 절치부심하며, 절차탁마를 거듭하고 있는지를 이 한 편만으로도 충분히 헤아릴 수 있다. 그밖에도 그는 「파종」, 「정오의 손님」, 「가을,

허수아비」, 「되새김질」, 「월인천강지곡」, 「안구건조 증」, 「달빛 소나타」, 「퇴고」 등의 단시조를 통해 시조의 미학적 가치를 높이는데 기여하고 있다.

『대장장이 딸』에 수록된 전편을 살피면서 우리 시조가 마침내 가 닿은 눈부신 한 지점을 보게 되었다. 그것은 그가 혼자서 이룩한 것이라고 생각하지 않는다. 많은 창작자들이 줄기차게 새로운 시조를 향한 부단한 도전 덕분이다. 함께 했기에 김소해 시인은 빛의 결정체와도 같은 단시조집 『대장장이 딸』을 상재할 수 있게 된 것이다. 성경에 "모든 것이 합력하여 선을 이룬다."는 말씀이 있다. 근간에 시조공동체가 더불어 힘쓰고 있는 많은 일들은 국가의 품격을 높이는 일이 되고 있다. 다만 시조문단에서만 그것을 알 뿐 외부사회는 여전히 무관심하다. 선조가 물려준 정신적 문화유산 가운데 시조만한 것이 얼마나 더 있을까? 또 그 일을 위해서 얼마나 힘쓰고 있는가?

분명한 것은 김소해 시인이 그 일익을 감당하고 있다는 사실이다.

2.

천착의 깊이가 놀랍고, 펼쳐놓은 밥상이 산해진미로 가득해 시의 입맛을 무장 끌어당긴다. 시조 하나를 온전히 보듬어 안고 좋은 땀 흘려온 한 평생이면 이만한 성찬을 멋들어지게 차릴 만도 할 것이다.

이제 작품을 보겠다.

붉은 입술 그보다 붉어 조용한 검은 입술

함부로는 아니지만 입을 열면 소나긴 듯

백지를

적시는 고백

백년이든 읽겠습니다

-「연필」 전문

사랑을 훔치려다 불을 훔치고 말았다

무쇠 시우쇠, 조선낫 얻기 까지

숯덩이 사르는 불꽃

명치 아래 풀무질

-「대장장이 딸」 전문

연필은 글 쓰는 이에게는 설렘의 대상이다. 잘 깎아놓은 향기로운 연필을 보면 강렬한 충동을 느낀다. 백지에 새로운 시 한 편을 펼쳐보고자 하는 창작 욕망이다. 시의 화자는 "붉은 입술 그보다 붉어 조용한 검은 입술"이라고 의미를 부여하고 있다. "검은 입술"이라니! 무언가 도전적이지 않는가. 참신한 비유가 시의 품격을 높인다. "함부로는 아니지만 입을 열면 소나긴 듯"에서 보듯 소나기가 등장한 것은 시인의 작업에 불이 붙었다 것을 의미한다. 연필 끝으로 내리꽂히는 시의 빗줄기를 맞을 준비가 된 것이다. 마침내 "백지를 적시는 고백"이기에 "백년이든 읽겠습니다"라고 작정하듯이 말한다. 어찌 천년인들 못 읽겠는가.

「대장장이 딸」은 표제작이다. "사랑을 훔치려다 불을 훔치고 말았다"라고 초장에서 말하고 있다. 정작 얻으려고 한 것은 사랑인데 불을 훔친 것이다. "무쇠 시우쇠, 조선낫 얻기까지 숯덩이 사르는 불꽃 명치 아래 풀무질"은 종생토록 다함이 없을 것이다. 시인은 대장장이이자 대장장이의 딸이기도 하다. 조선낫을 얻기까지 한 편의 시를 얻기까지 풀무질을 결코 한시도 쉴 수가 없다. 그러한 강렬한 창작의

지의 발현이 곧 「대장장이 딸」이다.

「연필」과 연계해서 읽으면 그 뜻이 더 깊어질 것이다.

내게로 오실 때는 뱃길로 오시어요

느닷없이 다리 놓아 쌩쌩 오지 말구요

천천히 노 저어오던

그 다정으로 오셔요

-「섬」 전문

함께 울어 울고 싶은 악기 하나 있어 좋다

울다가 잠이 들어 누가 이마를 짚어주는

그게 내 손바닥인 줄 적막인 줄, 하모니카 분다

-「하모니카」 전문

가풀막 천수답에 물 들어오는 소리

물소리에 쓸려가는, 또 쓸려오는 새소리

누구든 녹슨 경첩에 이 소리들을 먹이지

-「봄비」 전문

「섬」은 연련한 사랑시조다. 은근슬쩍 유혹한다. 달착지근한 말투로 "내게로 오실 때는 뱃길로 오시어요"라고 속삭인다. "느닷없이 다리 놓아 쌩쌩 오지 말"기를 바란다. 급히 오거나 분위기 없이 오지 말고 달빛 내리듯 그윽하게 왔으면 하는 바람이다. "천천히 노 저어오던 그 다정으로 오셔요"에서 보듯 느릿느릿, 다정을 품에 고이 보듬고 섬으로, 나에게로 오시기를 고대한다. 참 아름답다. 사랑은 이런 것이구나, 하고 새삼스레 깨닫게 된다.

「하모니카」는 정겨운 악기다. 품에 간직하기 좋고 어디서나 연주하기가 편리하다. 분위기를 돋우는데 효과적이다. 그것을 두고 화자는 "함께 울어 울고 싶은 악기 하나 있어 좋다"라고 진술한다. "울다가 잠이 들어 누가 이마를 짚어주는 그게 내 손바닥인 줄 적막인 줄"알고 하모니카를 분다. 잠든 이마를 짚어주는 손바닥과 적막은 이 시편에서 하모니카와 함께 묘한 울림을 안겨준다.

「봄비」는 "가풀막 천수답에 물 들어오는 소리"와 "물소리에 쓸려가는, 또 쓸려오는 새소리"를 등장시켜서 시각과 청각을 미묘하게 교직시키고 있다. 이 대목에서 "쓸려가는, 쓸려오는"을 중첩시킴으로써 시의 맛을 더해준다. 그리고 종장 "누구든 녹슨 경첩에 이 소리들을 먹이지"를 통해 물들어오는 소리, 새소리들을 녹슨 경첩에 먹인다는 대목은 미적 성취의 한 경지다. 경첩은 여닫이 문틀에 달아서 고정시킬 수 있도록 만든 철물이다. 이 소리들을 먹은 녹슨 경첩에 새로운 변화가 일어났을 법하다. 봄비가 내렸기 때문이다.

죽을 때 단 한 번 우는 새가 있다기에

울 줄 모르는 나를 슬퍼하지 않습니다

언젠가 그날을 위해

울음준비 중입니다

-「아름다운 울음」 전문

내 일생 항해라야 통통배 하나였다

그마저 빈틈없이 달라붙는 따개비들

또 내일 출항을 위해

긁어내고

긁어내고

-「따개비」 전문

은하 강 물줄기가 휘청 떨렸겠다

작은곰 큰곰자리 구도가 흔들렸겠다

낯선 별 하나를 맞는 캄캄한 저 하늘

-「마지막 밤, 아버지」 전문

「아름다운 울음」은 "죽을 때 단 한 번 우는 새가 있다"는 이야기를 듣고 "울 줄 모르는 나를 슬퍼하지 않"게 된 사연을 들려주고 있다. 그 단 한 번의 울음을 위해, 최후의 그날을 위해 화자는 "울음준비 중입니다"라고 진술한다. 대체

그 울음이 어떤 울음이기에 그러할까? 제목이 "아름다운 울음"인 것으로 보아 잘 승화된 슬픔의 결정체 같은 것이라는 생각이 든다. 시인이라면 진정 예술가라면 단 한 번의 아름다운 울음을 준비해야 마땅할 터다.

「따개비」는 소박한 노래다. "내 일생 항해라야 통통배 하나였다"라고 고백하는 화자는 "그마저 빈틈없이 달라붙는 따개비들"때문에 항해에 지장을 받는다. 그래서 "또 내일 출항을 위해"긁어내고 또 긁어내고 있다. 따개비들이 달라붙을지라도 통통배의 항해에 그리 불편을 끼치지 않겠지만 그래도 성가시게 하는 것임에는 틀림없다. 온전한 항해를 위해서 긁어내는 일이 옳을 것이다.

「마지막 밤, 아버지」는 아픈 시편이다. 아버지가 떠나시던 날 밤 "은하 강 물줄기가 휘청 떨렸겠다"라는 발언은 공감을 안긴다. 그리고 그 이미지가 생생한 공감각으로 말미암아 명치끝을 툭 친다. 더불어 "작은곰 큰곰자리 구도가 흔들렸겠다"라고 생각한다. 화자에게 아버지의 존재는 그만큼 큰 것이다. "낯선 별 하나를 맞는 캄캄한 저 하늘"을 혼자 우러른다. 눈물을 훔치며 아버지의 모습을 그린다. 그리고 그의 유지를 기린다.

게으른 내 서기는 타자 술을 개발했다

깊은 울림 시구들을 받아 적으라니까

유리벽 창을 두들겨 자판을 치고 있다

-「빗소리」 전문

기역, 호미 들고 익히지 못한 상형이다

밭길 건던 지팡이가 어머니 몸이다

만월의 생을 펼쳐 읽는

책 한 권의 첫 글자

-「기역」 전문

점자를 읽을 줄 몰라 해독을 못 하겠다

우주를 가득 채운 밤하늘 뭇 별들

나에게, 행성에서 행성으로

뜨거운 호소, 기록인데…

-「점자」 전문

「빗소리」는 착상이 이채롭다. 화자에게는 "게으른 서기"가 있어 새로운 "타자 술을 개발했"는데 "깊은 울림 시구들을 받아 적으라"고 지시했더니 "유리벽 창을 두들겨 자판을 치고 있"는 것이다. 이처럼 이 작품의 구조는 특이하다. 결국 깊은 울림의 시구들을 "빗소리"가 받아 적은 것이다. 그만큼 빗소리는 서정적 울림을 가지고 있기 때문이다. 현상과 정황에 대한 섬세한 포착 능력은 아무나 소유할 수 있는 것이 아니다. 줄기찬 천착 끝에 다다른 한 경지다.

「기역」역시 예사롭지 않은 시상의 전개를 보인다. 낫 놓고 기역자도 모른다는 말처럼 "기역, 호미 들고 익히지 못한 상형이다"라는 첫 줄은 울림이 크다. 금방 그렇구나 하는 동의를 하게 한다. 그리고 "밭길 걷던 지팡이가 어머니 몸이다"라고 덧붙이고 있다. 다음으로 잘 승화된 결구인 종장에서 "만월의 생을 펼쳐 읽는 책 한 권의 첫 글자"가 놓임으로써 이 시편은 밀도 높게 완성된다.

「점자」가 다른 것이 아니라 "우주를 가득 채운 밤하늘 뭇 별들"이라는 것을 중장을 보고 알아차린다. 그래서 화자는 "점자를 읽을 줄 몰라 해독을 못 하겠다"라고 말한 것이다. "나에게" 뿐만 아니라"행성에서 행성으로 뜨거운 호소"요 그 "기록인데…"그것을 읽어내지 못하고 있는 것이다. "뜨거운 호소"로 의미 부여를 하고 있는 점도 눈길을 끌고 그것을 다 읽어내지 못해 애태우는 화자의 겸양지덕도 간과할 수 없는 부분이다.

뒷면이 고운 너는 은사시나무 잎사귀

미풍, 그 미세함을 떨림으로 보여주는

내 사랑 수시로 흔든다 보고 싶은 뒷면

-「부부」 전문

공양미 삼백 석으로 지어올린 아버지 밥상

천지간 먹이고 싶던 소원의 쌀밥그릇

화들짝 눈 뜨는 가로수 듬뿍듬뿍 받아간다

-「이팝꽃 급식소」 전문

자갈 많은 사이길 먼저 걸어간 사람들

모난 돌 다스려서 여기 모은 돌무더기

내 걸음 염려하는 손

한 개 한 개 또 한 개

-「돌탑」 전문

잔잔하게 가득하여 평온한 해안선이

한사리 물때에는 속수무책 만 평 갯벌

꺼멓게 드러난 바닥

네 속을 여태 몰랐다니

-「썰물」 전문

「부부」도 미묘하다. "뒷면이 고운 은사시나무 잎사귀"의 특이점을 유정한 눈으로 본 것도 그렇고 "미풍, 그 미세함을 떨림으로 보여주는"그 정경을 통해 "내 사랑 수시로 흔든다"라고 진솔하게 고백하고 있는 것도 그러하다. "보고 싶은 뒷면"이 부부에게는 서로의 궁금한 이면이다. 이들의 내밀한 삶을 형용하기 위해 "은사시나무 잎사귀"를 도입한 점이 이채롭다. 미세한 미풍의 떨림까지 도출하고 있으니 금상첨화다.

오월은 이팝나무 철이다. 탐스러운 흰 꽃숭어리들이 바람에 일렁일 적마다 풍요로운 느낌이다. 밥을 안 먹어도 배부를 듯하다. 몇 해 전부터 전국적으로 이팝나무를 가로수로 심어서 아카시아와 더불어 오월의 꽃이 된지 오래다. 기온 때문에 남녘 지방에 맞는 나무다.「이팝꽃 급식소」는 정말 그러한 급식소가 있을 것만 같은 분위기를 자아낸다. "공양미 삼백 석으로 지어올린 아버지 밥상"이라는 초장에서 심청과 심봉사가 떠오른다. 또한 탁월한 비유인"햇살은 공양미 삼백 석"이라고 노래한 정완영의「시암의 봄」이라는 시조가 생각난다. 특히 딸은 아버지에게 상을 차려드리는 것을 큰 기쁨으로 여기는데 "천지간 먹이고 싶던 소원의 쌀밥그릇"을 "화들짝 눈 뜨는 가로수 듬뿍듬뿍 받아"가는 장면을 바라보면서 더욱 그런 안타까움을 가지게 되었을 것이다.

「돌탑」은 "자갈 많은 사이길 먼저 걸어간 사람들"이 "모난 돌 다스려서 여기 모은 돌무더기"를 문득 바라보다가 생각한 것이 "내 걸음 염려하는 손 한 개 한 개 또 한 개"이다. 사실 앞서 걸어간 사람들이 놓은 돌들은 모두 자신을 위한 기구였을 것이다. 그러나 화자는 그 점을 그렇게 바라보지 않고 뒷사람까지 넉넉히 고려한 마음 모음이었음을 자각한다. 속이 깊지 않으면 그럴 수 없을 것이다.

「썰물」은 "잔잔하게 가득하여 평온한 해안선이 한사리 물때에는 속수무책 만 평 갯벌"인 것을 바라보다가 곧 알게 된 점을 말하고 있다. " 속수무책 만 평 갯벌"그 "꺼멓게 드러난 바닥"을 보며 "네 속을 여태 몰랐"던 것을 자책하고 있다. 실로 이러할 때는 자책을 할만하다. 자책을 함으로써 미안함을 얼마간이나마 덜어낼 수가 있기 때문이다.

네가 하늘 – 하고 말하면 나는 이냥 하늘이네

내가 바다 – 하고 부르면 너도 그냥 바다였네

수평선

머나먼 끝에서

만나는가

우리 사이

-「시작詩作」 전문

소 먹이다 소를 잃고 울며 돌아오는데

날은 어둑어둑 걱정범벅 눈물범벅

아 글쎄, 지가 먼저 와서 날 기다리고 있더라니까

-「반가움」 전문

누가 나를 보고 있는지 뒤통수가 따가웠다

바쁜 출근길 돌아보지 않을 수 없었는데

왜 그냥

지나가느냐며

볼이 더 버는 목련꽃

-「사월 아침」 전문

「시작詩作」은 시인이라면 한번쯤 제목으로 삼아 글을 쓰게 마련이다. "네가 하늘, 하고 말하면 나는 이냥 하늘"이란다. "내가 바다, 하고 부르면 너도 그냥 바다"란다. 이상적인 합일이다. 분리될 수 없는 자존감의 충만이다. 그리고 둘은 "수평선 머나먼 끝에서 만"난다. "우리 사이":는 그런 사이다. 시 쓰는 일도 그와 매한가지다. 그런 예술적 정황을 직조하고 있다.

「반가움」을 읽기 전에 먼저 보아야 할 작품이 있다. 이종문의 「달밤」이다![1] 두 작품은 사람과 소의 교감이라는 측면에서 서로 잘 통한다. 「달밤」은 단순한 회고의 노래가 아닌 것이다. 사람과 자연이 한 호흡이 되어 상생의 삶을 영위해야 한다는 사실을 달밤에 다시 집으로 찾아온 소를 통해서 자각할 수 있다. 스쳐지나가는 추억담이 아니라 우리가 진정 되찾아야할 본성을 일깨우는 눈물겨운 노래다. 「반가움」도 마찬가지다. "소 먹이다 소를 잃고 울며 돌아오는데 날은 어둑어둑 걱정범벅 눈물범벅"으로 힘 잃고 집으로 와보니 "아 글쎄, 지가 먼저 와서 날 기다리고 있더라"는 것이

1 그 소가 생각난다, 내 어릴 때 먹였던 소// 사르비아 즙을 푼 듯 놀이 타는 강물 위로// 두 뿔을 운전대 삼아, 타고 건너오곤 했던,// 큰누나 혼수 마련에 냅다 팔아먹어 버린,// 하지만 이십 리 길을 터벅터벅 걸어와서// 달밤에 대문 앞에서 움모-하며 울던 소
-이종문 시조집 『그때 생각나서 웃네』(시학, 2019)

다. 기가 차다기보다는 엄청나게 반갑고 기쁜 일이다. 일거에 근심걱정을 다 털어버렸기 때문이다. 어쩌면 소는 화자를 걱정했을지도 모른다.

「사월 아침」은 목련의 개화를 노래하고 있다. "누가 나를 보고 있는지 뒤통수가 따가"워서 "바쁜 출근길 돌아보지 않을 수 없었는데"오호라 "왜 그냥 지나가느냐며 볼이 더 버는 목련꽃"과 마주친 것이다. 봄이 되어 이렇듯 아름답게 꽃을 피우고 있는데 거들떠보지도 않고 지나쳐 버렸으니 많이 잘못된 것이다. 봄날에는 아무리 바빠도 바쁘다는 핑계를 대지 말 일이다.

아파트 놀이터에 아이들 떠드는 소리

때로는 위 아래층 다투는 소리까지

헤아려 들을 줄 안다

살아있다는 사람소리

-「소음을 읽는 방식」전문

그래, 네가 있어 기다리고 있었구나

여기에 길이 있어

여기가 집이라고

잊었던 그가 돌아와 안부를 묻는 골목

-「오래된 가로등」 전문

말갛게 유리창을 닦으며 닦으면서

괜한 마음으로 한 번 더 닦고 간다

걸레질 지나간 자리 도로 생긴 얼룩들

-「퇴고」 전문

태양과 수직으로 맞서라면 맞서야하리

그늘은 지우고 시침 분침 초침까지

정수리

불 데인 흑점

합일의 빛, 시가 왔다

-「정오의 손님」 전문

「소음을 읽는 방식」은 현상에 대해 긍정적인 시각을 보이고 있다. 화자의 넉넉한 품성을 짐작할 만하다. "아파트 놀이터에 아이들 떠드는 소리"와"때로는 위 아래층 다투는 소리까지"를 이젠 "헤아려 들을 줄 안다"는 의미는 무엇일까? 그만큼 경륜이 깊어진 것이다. 그리고 무엇보다 사람에 대한 사랑이 더욱 깊어지고 넓어졌다는 방증이다. 그 모두가 진정 "살아있다는 사람소리"이기 때문이다. 살아있다는 그 하나만으로도 몹시 느껍다는 것이다. 「소음을 읽는 방식」은 그런 점에서 주목해야 할 작품이다.

「오래된 가로등」도 사람살이의 귀함을 잘 드러내고 있다. "그래, 네가 있어 기다리고 있었구나"라는 화자의 감탄은 자연스럽게 나온 것이다. "여기에 길이 있어 여기가 집이라고"여기기에 "잊었던 그가 돌아와 안부를 묻는 골목"을 지키는 오래된 가로등은 그 모든 사연들을 다 기억하고 있는 것이다. 길이 있고 집이 있기에 사람이 살아간다. 그래서 돌아와 안부를 묻는 일도 가능한 것이다.

「퇴고」는 퇴고의 어려움을 술회하고 있다. "말갛게 유리창을 닦으며 닦으면서 괜한 마음으로 한 번 더 닦고"가는 것은 무언가 미진하다는 느낌을 떨칠 수가 없기 때문이다. 그런 까닭에 "걸레질 지나간 자리 도로 생긴 얼룩들"이 보이는 것이다. 어찌하랴? 어느 지점에서 퇴고의 손길을 거둘 수밖에 없을 것이다. 완벽을 기하기란 이렇듯 지난한 일이다.

「정오의 손님」은 "태양과 수직으로 맞서라면 맞서야하리"에서 보듯 태양과 맞설 태세다. 불같은 도전의식이다. "그늘은 지우고 시침 분침 초침까지"다. 그리고 "정수리 불 데인 흑점"의 순간 "합일의 빛, 시가 왔다"고 알린다. 시는 곧 정오의 손님이다. 태양과 대결 끝에 얻은 눈부신 수확이다.

3.

이처럼 김소해 시인의 단시조는 단아한 서정과 더불어 다양한 소재를 바탕으로 다채로운 발화를 보인다. 시 자체에 대해 깊이 있는 질문을 던지기도 하고 삶의 방향에 대한 철학적 사유를 형상화하기도 한다. 웅숭깊은 생명에 대한 사랑과 더불어 사람살이가 어떠해야 하는가에 대한 심도 있는 비유와 주제의식의 발현으로 공감대를 넓히기도 한다.

무엇보다도 그의 시조는 참신하다. 낡지 않다. 예측 불허의 결구를 통해 반전의 묘미를 드러내고, 따뜻한 인간애를 탐구한다. 그의 단시조는 하나의 전범의 반열에 오를 수 있을 것이다. 언어미학적 성취와 함께 도저한 깊이에 뿌리를 내리고 있기 때문이다. 그 역시 시조를 신앙처럼 받들며 살고 있기에 이만한 경지에 이른 것이다.

김소해 시인의 이번 단시조집은 "시조의 대장장이 딸"이 되어 "백년만의 고백, 백년의 고백"으로 이루어진 자신과 당대의 이웃에 대한 사랑 시편이다. 또한 그가 진정으로 미쁘게 여기고 있는 세상을 향한 연시이자 시조 자체에 대한 연모의 시편이기도 하다. 그의 빛나는 시조 인생은 그만의 것이 아니라 이제 우리 모두의 것이 되었음을 천명한다.

단시조집 『대장장이 딸』의 상재를 경하하는 바이다.